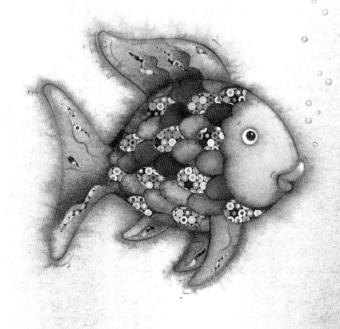

마르쿠스 피스터(1960~)

스위스 베른에서 태어났다. 베른에 있는 한 예술 학교에서 미술 공부를 하고, 그래픽 디자이너로 시작해 조각, 회화, 사진 등을 공부했다.
꼬마 펭귄들의 사랑 이야기를 수묵화 기법으로 그린《펭귄피트》의 귀여운 캐릭터로 유명해졌다. 피스터는 화려한 홀로그램 인쇄 기법을 이용한
〈무지개 물고기〉 시리즈를 선보이며 세계적인 베스트셀러 작가가 되었다.

공경희

서울대학교 영어영문학과를 졸업했고, 지금은 전문 번역가로 활동하고 있다.
옮긴 책으로는《곰 사냥을 떠나자》,《비밀의 화원》,《매디슨 카운티의 다리》들이 있다.

무지개 물고기

초판 제1쇄 발행일 1994년 4월 15일
초판 제17쇄 발행일 2010년 11월 5일
지은이 마르쿠스 피스터
옮긴이 공경희
발행인 전재국 발행처 (주)시공사
주소 137-879 서울시 서초구 서초동 1628-1
전화 영업 2046-2800 편집 2046-2825~8
인터넷 홈페이지 www.sigongjunior.com

THE RAINBOW FISH
by Marcus Pfister
Copyright ⓒ 1992 by Marcus Pfister
All rights reserved.
Korean translation copyright ⓒ 1994 by Sigongsa Co., Ltd.
This Korean edition was published by arrangement with Marcus Pfister.

ISBN 978-89-7259-063-7 77890

*시공주니어 홈페이지 회원으로 가입하시면 다양한 혜택이 주어집니다.
*잘못 만들어진 책은 구입하신 서점에서 바꾸어 드립니다

무지개 물고기

마르쿠스 피스터 그림 · 글 | 공경희 옮김

시공주니어

저 멀리 깊고 푸른 바다 속에, 물고기 한 마리가 살고 있었습니다.
그 물고기는 보통 물고기가 아니라 온 바다에서 가장 아름다운
물고기였습니다. 파랑, 초록, 자줏빛 비늘 사이사이에 반짝반짝
빛나는 은빛 비늘이 박혀 있었거든요.

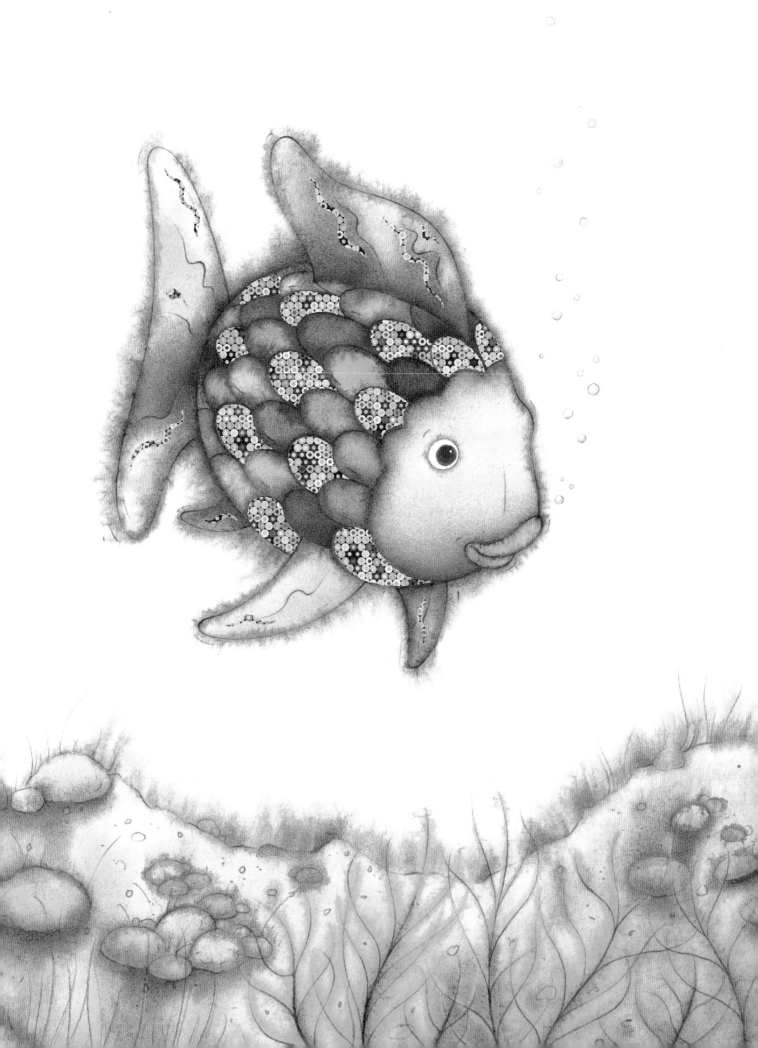

다른 물고기들도 그 물고기의 아름다운 모습에 감탄했습니다.

물고기들은 그 물고기를 무지개 물고기라고 불렀습니다.

물고기들은 무지개 물고기에게 말을 붙였습니다.

"얘, 무지개 물고기야, 이리 와서 우리랑 같이 놀자!"

하지만 무지개 물고기는 한 마디 대꾸도 없이 잘난 체하면서

휙 지나가 버렸습니다. 예쁜 비늘을 반짝이면서 말이에요.

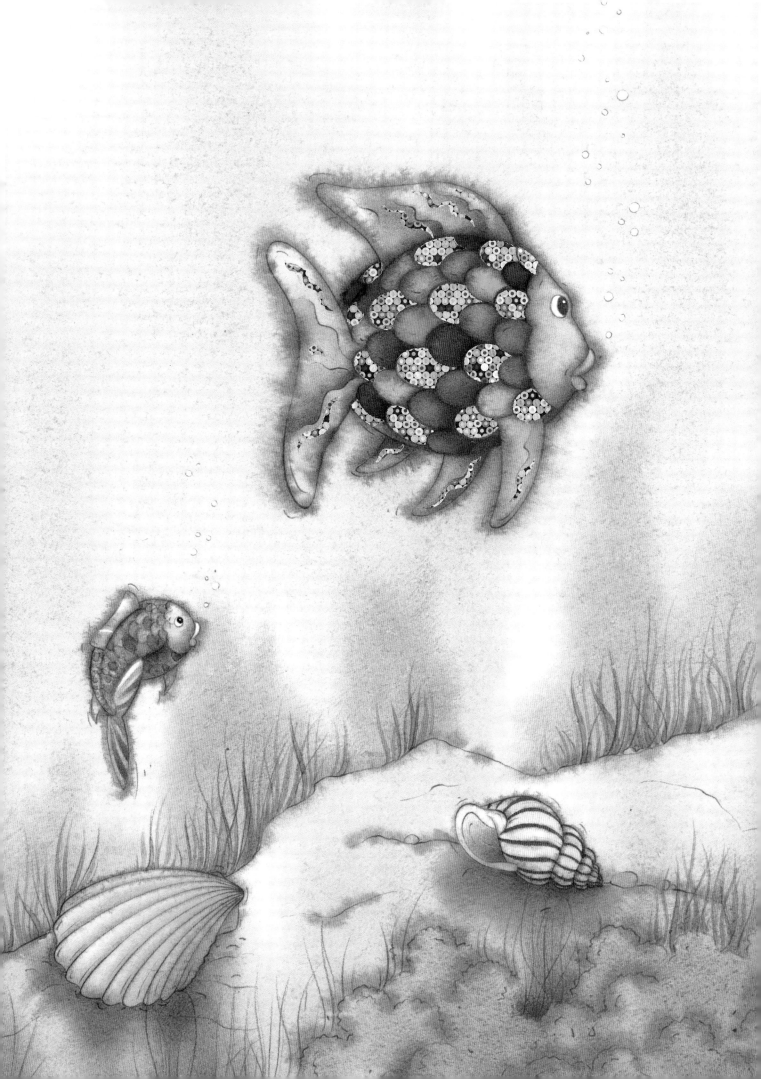

어느 날 파란 꼬마 물고기가 무지개 물고기를 뒤따라왔습니다.
파란 꼬마 물고기는 무지개 물고기를 불러 세웠습니다.
"무지개 물고기야, 잠깐만 기다려 봐! 넌 반짝이 비늘이 참 많구나.
나한테 한 개만 줄래? 네 반짝이 비늘은 정말 멋있어."

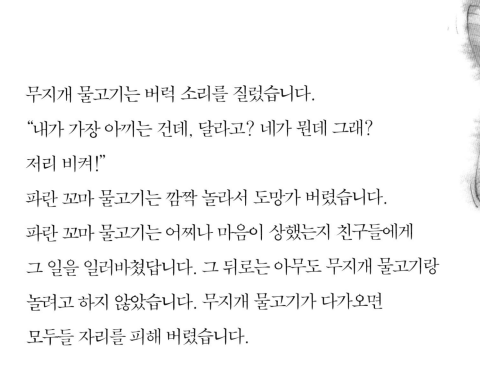

무지개 물고기는 버럭 소리를 질렀습니다.
"내가 가장 아끼는 건데, 달라고? 네가 뭔데 그래?
저리 비켜!"
파란 꼬마 물고기는 깜짝 놀라서 도망가 버렸습니다.
파란 꼬마 물고기는 어찌나 마음이 상했는지 친구들에게
그 일을 일러바쳤답니다. 그 뒤로는 아무도 무지개 물고기랑
놀려고 하지 않았습니다. 무지개 물고기가 다가오면
모두들 자리를 피해 버렸습니다.

아무도 감탄해 주지 않는데, 눈부신 반짝이 비늘이 있어 봐야
무슨 소용이 있겠어요? 이제 무지개 물고기는 온 바다에서
가장 쓸쓸한 물고기가 되어 버렸습니다.
어느 날 무지개 물고기는 불가사리 아저씨에게 고민을 털어
놓았습니다.
"나는 정말 예쁘잖아요. 그런데 왜 아무도 나를 좋아하지 않는
걸까요?"
"그런 물음에는 대답해 줄 말이 없구나. 산호초 뒤에 있는 깊은
동굴에 가면 문어 할머니를 만날 수 있을 거야. 문어 할머니가
널 도와 줄 수 있을 것 같구나."

무지개 물고기는 동굴을 찾아갔습니다.
동굴은 너무나 깜깜해서 아무것도 보이지 않았습니다.
그런데 갑자기 눈동자 두 개가 무지개 물고기 쪽을 향해 반짝
빛나더니 문어 할머니가 나타났습니다.

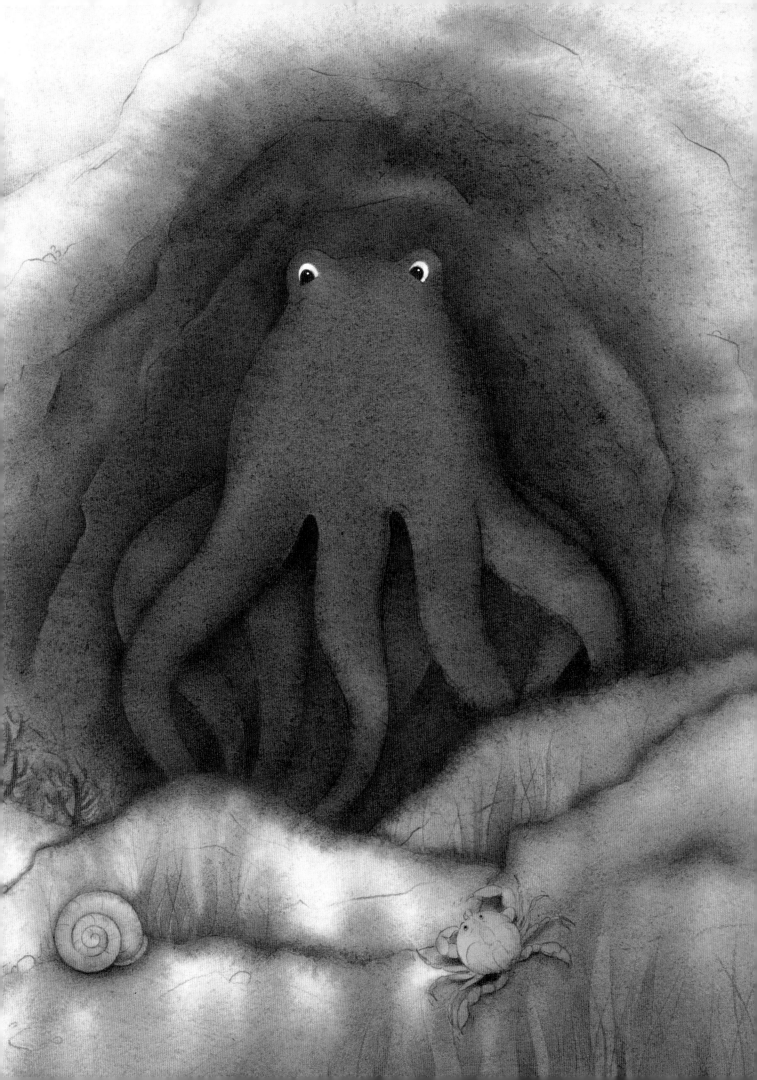

문어 할머니는 나직하면서도 힘이 있는 목소리로 말했습니다.

"널 기다리고 있었다. 파도가 벌써 네 이야기를 전해 주더구나.
내가 널 도와 주마. 네 반짝이 비늘을 다른 물고기들에게 한 개씩
나누어 주거라. 그럼 너는 더 이상 바다에서 가장 아름다운 물고기가
되지는 못하겠지만, 지금보다 훨씬 행복해질 수 있을 거다."

"싫어……."
무지개 물고기가 막 말을 꺼내려는데, 문어 할머니는
이미 까만 먹물을 내뿜고는 사라져 버렸습니다.
내 비늘을 나눠 주라고? 이렇게 예쁜 비늘을? 안 돼.
반짝이 비늘이 없으면 난 행복하게 살 수 없는걸?

순간 무지개 물고기는 꼬리지느러미 쪽에서 물결이 살랑이는 것을
느꼈습니다. 파란 꼬마 물고기가 돌아온 거예요!
"무지개 물고기야, 제발 화내지 마! 난 그냥 작은 비늘 한 개만
갖고 싶었을 뿐이야."
무지개 물고기는 마음이 흔들렸습니다.
아주아주 조그만 반짝이 비늘 딱 한 개뿐인데, 뭘.
한 개쯤은 없어도 괜찮을 거야.

무지개 물고기는 조심스럽게 가장 작은 은빛 비늘 한 개를
뽑아서 파란 꼬마 물고기에게 주었습니다.
"고마워! 정말 고마워!"
파란 꼬마 물고기는 좋아서 물거품을 보글보글 내뿜으며
반짝이 비늘을 파란 비늘 사이에 끼웠습니다.
무지개 물고기는 기분이 조금 이상했습니다.
그래서 파란 꼬마 물고기가 반짝이 비늘을 달고 앞으로 뒤로
헤엄치는 모습을 한참 동안 가만히 지켜 보았습니다.

파란 꼬마 물고기는 비늘을 반짝이며 바다 속을 쉭쉭 헤엄쳐 다녔습니다.

얼마 뒤 다른 물고기들도 무지개 물고기 주변으로 몰려들었습니다.

자기들도 반짝이 비늘을 갖고 싶었거든요.

무지개 물고기는 반짝이 비늘을 하나씩 하나씩 뽑아서 나누어 주었습니다.

나누어 주면 줄수록 기쁨은 더욱 커졌습니다.

무지개 물고기를 둘러싼 바다는 반짝이 비늘로 가득해졌습니다.

그제야 무지개 물고기는 마음이 편안해지는 걸 느꼈습니다.

마침내 무지개 물고기에게는 반짝이 비늘이 딱 하나만 남았습니다.

무지개 물고기는 가장 아끼는 보물을 나누어 주었지만 무척 행복했습니다.

다른 물고기들이 무지개 물고기를 불러 냈습니다.

"무지개 물고기야, 이리 와. 이리 와서 우리랑 같이 놀자!"

"그래, 곧 갈게."

무지개 물고기는 기분이 좋아서 첨벙첨벙 헤엄치며 친구들에게 갔답니다.